光は今も輝いている

THE LIGHT STILL SHINES

レタリングとぬり絵で楽しむクリスマス

エマ・シーガル　画
日本聖書協会　文

光は今も輝いている
レタリングとぬり絵で楽しむクリスマス

エマ・シーガル　画
日本聖書協会　　文

日本語版著作権　©日本聖書協会 2020
『聖書 聖書協会共同訳』©日本聖書協会 2018

Originally published under the title: "The Light Still Shines" by Copenhagen Publishing House, Denmark.

2020年11月1日発行
ISBN978-4-8202-9275-3
JBS-ed.1-2,000-2021

発行：一般財団法人 日本聖書協会
東京都中央区銀座4-5-1
電話：03-3567-1987
https://www.bible.or.jp/

Printed in China

この本の使いかた

白いページはぬり絵を楽しんでいただくページです。
レタリングシートは、ぬり絵のページ・イラストのページいずれにも使えます。
レタリングシートのイラストは、本の各ページのイラストに対応しています。
鉛筆や割りばしなどでレタリングシートをこすり、本のページにイラストを転写します。

────── レタリングシートについてのご注意 ──────

★ シートを置くだけでイラストがページにつくことがあります。十分ご注意ください。

★ シートは乾燥を防ぐためにジッパーつき袋などに密閉し、お早めにお使いください。
　 長期にわたって使用しないと、劣化して使えなくなることがあります。

★ シートを使わない時は、汚れやほこりがつかないよう、台紙に置き直してください。

- レタリングシートをポケットから取り出し、白い台紙から外します。
  各シートを点線で2枚に切り離します。

- 写したいイラストを本のページの好きな場所に置きます。

- シートの上からイラストをこすります。
  隣のイラストに触らないようご注意ください。
  写したいイラストだけをはさみで切り離すとよいでしょう。

- 転写ができたら、シートを丁寧に外します。

光は輝いている

初めに言があった。言は神と共にあった。
言は神であった。この言は、初めに神と共にあった。
万物は言によって成った。
言によらずに成ったものは何一つなかった。
言の内に成ったものは、命であった。
この命は人の光であった。
光は闇の中で輝いている。闇は光に勝たなかった。

ヨハネによる福音書 1:1-5

闇の中を歩んでいた民は大いなる光を見た。
死の陰の地に住んでいた者たちの上に光が輝いた。

イザヤ書 9:1

すばらしい知らせ

すると、天使は言った。
「マリア、恐れることはない。
あなたは神から恵みをいただいた。
あなたは身ごもって男の子を産む。
その子をイエスと名付けなさい。
その子は偉大な人になり、
いと高き方の子と呼ばれる。
神である主が、彼に父ダビデの王座をくださる。
彼は永遠にヤコブの家を治め、
その支配は終わることがない。」

ルカによる福音書 1:30-33

エフラタのベツレヘムよ
あなたはユダの氏族の中では最も小さな者。
あなたから、私のために
イスラエルを治める者が出る。
その出自は古く、とこしえの昔に遡る。

ミカ書 5:1

救い主が生まれた

彼らがそこにいるうちに、マリアは月が満ちて、
初子の男子を産み、産着にくるんで飼い葉桶に寝かせた。
宿屋には彼らの泊まる所がなかったからである。

ルカによる福音書 2:6-7

神は、かつて預言者たちを通して、折に触れ、
さまざまなしかたで先祖たちに語られたが、
この終わりの時には、御子を通して私たちに語られました。
神は、御子を万物の相続者と定め、また、御子を通して世界を造られました。

ヘブライ人への手紙 1:1-2

天使たちの歌

天使は言った。
「恐れるな。私は、すべての民に与えられる大きな喜びを告げる。
今日ダビデの町に、あなたがたのために救い主がお生まれになった。
この方こそ主メシアである。
あなたがたは、
産着にくるまって飼い葉桶に寝ている乳飲み子を見つける。
これがあなたがたへのしるしである。」

ルカによる福音書 2:10-12

一人のみどりごが私たちのために生まれた。
一人の男の子が私たちに与えられた。
主権がその肩にあり、その名は
「驚くべき指導者、力ある神
永遠の父、平和の君」と呼ばれる。

イザヤ書 9:5

幼子に賛美を

そして急いで行って、マリアとヨセフ、
また飼い葉桶に寝ている乳飲み子を探し当てた。
その光景を見て、羊飼いたちは、
この幼子について天使から告げられたことを人々に知らせた。
聞いた者は皆、羊飼いたちの話を不思議に思った。
しかし、マリアはこれらのことをすべて心に留めて、思い巡らしていた。

ルカによる福音書 2:16-19

その日が来る──主の仰せ。
私はダビデのために正しい若枝を起こす。
彼は王として治め、悟りある者となり
この地に公正と正義を行う。

エレミヤ書 23:5

世の光

…東方の博士たちがエルサレムにやって来て、言った。
「ユダヤ人の王としてお生まれになった方は、どこにおられますか。
私たちは東方でその方の星を見たので、拝みに来たのです。」
マタイによる福音書 2:1-2

私は世の光である。
私に従う者は闇の中を歩まず、命の光を持つ。
ヨハネによる福音書 8:12